本书献给所有
上学前班的同学们。

图书在版编目(CIP)数据

古纳什小兔又来了/(美)威廉斯著;阿甲译.
—北京:新星出版社,2012.7
ISBN 978-7-5133-0631-7

Ⅰ.①古… Ⅱ.①威…②阿… Ⅲ.①儿童文学—图
画故事—美国—现代 Ⅳ.①I712.85

中国版本图书馆CIP数据核字(2012)第062323号

著作权合同登记号 图字:01-2012-1706

古纳什小兔又来了

(美)莫·威廉斯 著 阿甲 译

责任编辑 白佳丽
责任印制 付丽江
字体设计 王晶华
内文制作 杨兴艳
出 版 新星出版社 www.newstarpress.com
出 版 人 谢 刚
社 址 北京市西城区车公庄大街丙3号楼 邮编 100044
电话 (010)88310888 传真 (010)65270449
发 行 新经典文化有限公司
电话 (010)68423599 邮箱 editor@readinglife.com
印 刷 北京盛通印刷股份有限公司
开 本 889mm×1194mm 1/16
印 张 3
字 数 5千字
版 次 2012年7月第1版
印 次 2012年7月第1次印刷
书 号 ISBN 978-7-5133-0631-7
定 价 29.80元

古纳什小兔又来了

错认案例一则

〔美〕莫·威廉斯 著　阿甲 译

新星出版社 NEW STAR PRESS

不久不久以前的一天早晨，
翠西和爸爸走出家门。

如今，翠西说话
说得可顺溜了。

然后我再拿给玛格看，然后拿给简妮看，然后拿给莉拉看，然后拿给丽贝卡看，然后拿给诺亚看，然后拿给罗比看，然后拿给托斯看，然后拿给凯西看，然后拿给康妮看，然后拿给帕克看，然后拿给布莱恩看，然后……

她一路说呀，说呀。

翠西很兴奋，
因为她正拿着她的
独一无二的古纳
什小兔，去一个非常
特别的地方，
那就是——

学校！

翠西都快等不及了，她要赶紧拿给

葛琳老师看，还要拿给学前班里所有的小朋友看。

可是就在爸爸亲吻她的
额头说再见的时候，
翠西看见了宋佳。

突然间，翠西的独一无二的
古纳什小兔再也不是
独一无二的了。

这天上午，日子过得不大好。

下午，日子过得更糟糕。

当放学的铃声响起时，葛琳老师把
古纳什小兔还给了她们。

于是，日子变得好起来了。

然后，她觉得才玩了一会儿，

回家的时间就到了。

翠西 "吃" 了晚饭，

狼吞虎咽地吃下

甜点，

刷完牙……

然后，
嘟呐星球的妈咪机器人
和爹地机器人来了！
她赶紧逃跑！

上床时间过了好一会儿，翠西才钻进被窝，

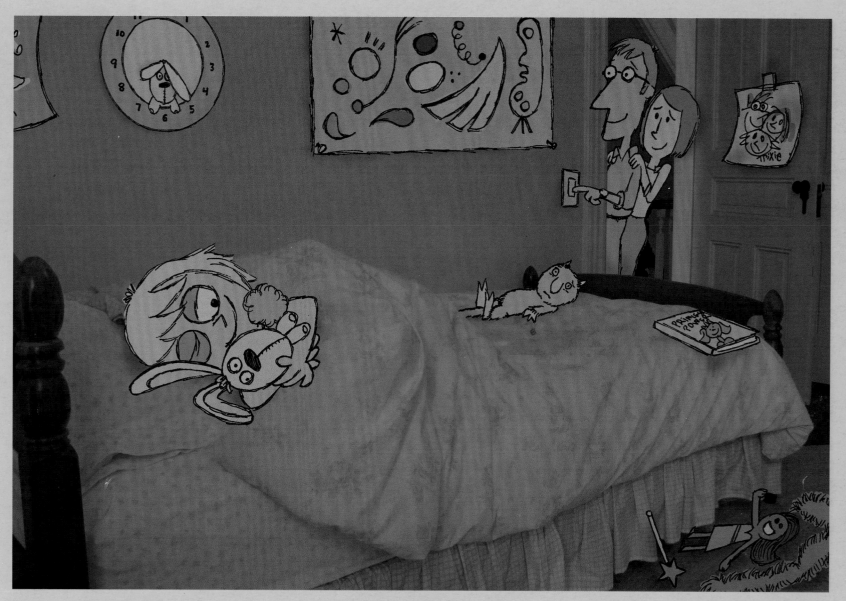

准备睡觉。

可是几个钟头之后……

有点儿**不对劲**。

翠西大踏步走进爸爸
妈妈的房间，
说道：

翠西的爸爸试着向她解释"凌晨两点半"是什么概念。

他问翠西："我们能不能等到早上

再来处理这件事?"

翠西的爸爸到客厅去打电话。

就在他快要走下
楼梯时，

电话铃响了。

电话的另一头传来一个男人的声音。

翠西的爸爸回答。

双方做好了安排。

翠西和爸爸快步冲过
邻近的街区！

翠西不想迟到。

宋佳也不想。

双方交换小兔。

于是两只小兔分别回归了

各自主人的怀抱。

宋佳说。

翠西回答。

然后她们都说：

我真高兴
你能把你的
小兔找回来！

在同一刻

她们异口

同声！

就这样，翠西找到了她有生以来第一个*最好的朋友。

*当然，古纳什小兔除外。

特别鸣谢：真正的翠西和她的妈妈，汤姆·德莱斯戴尔，布鲁克林公共图书馆，罗宾森一家，卢温尼一家，西奥普女士，霍尔登女士，和PS107学习社区。

尾声

第二天早上，翠西和

宋佳都快步赶到学校。

这一对新的最好的朋友还有好多话要说，还有好多事要做。